les animaux
de la ferme

Piccolia

sommaire

à l'état sauvage
3 +

🐗 La vache	4	
🐗 **Le veau**	5	
🐗 Le cheval	6	
🐗 Le poulain	7	
🐗 L'âne	8	
🐗 Le lapin	9	
🐗 Le cochon	10	
🐗 Le porcelet	11	
🐗 La chèvre	12	
🐗 Le chevreau	13	

🐗 Le mouton	14	
🐗 L'agneau	15	
🐗 Le chien	16	
🐗 **Le chat**	17	
🐗 Le dindon	18	
🐗 Le coq	19	
🐗 La poule	2	
🐗 Le poussin	2	
🐗 Le canard	2	
🐗 L'oie	2	

les animaux
de la ferme

La vache

Elle passe toute la journée à manger et à digérer de l'herbe.
Selon sa race, elle peut peser entre 500 et 900 kg.

e veau

Le veau est le petit de la vache, âgé de moins de 6 mois. À sa naissance, il pèse environ 45 kg.

Le cheval

L'homme a rapidement utilisé le cheval pour se déplace[r]
mais aussi comme partenaire dans toutes sortes de trava[ux]

e poulain

La jument n'a, en général, qu'un seul poulain par an. Il se
resse sur ses pattes quelques minutes après sa naissance.

L'âne

L'âne est plus petit et à des oreilles plus longues qu'un che

Affectueux, agile et endurant, c'est un compagnon fidè

e lapin

e gentil rongeur naît aveugle et sans poils. Il reste au chaud
ns son terrier plus d'une semaine avant de s'aventurer dehors. 🐾
9

Le cochon

Quand il est en liberté, cet animal est propre. Nous nous servons de son flair très développé pour rechercher les truffes.

e porcelet

porcelet est un jeune cochon. Le cochon est aussi nommé porc.
femelle s'appelle la truie et le mâle reproducteur le verrat.

La chèvre

Selon les espèces, la chèvre domestique est élevée pour son lait, sa viande, sa peau ou ses poils.

e chevreau

e mâle de la chèvre s'appelle le bouc et son petit le chevreau. Au ntemps, les chèvres mettent au monde un ou deux chevreaux.

Le mouton

C'est un animal craintif qui aime vivre en troupeau.
On l'élève pour sa laine mais aussi pour son lait.

L'agneau

L'agneau est un jeune mouton. La femelle s'appelle la brebis et le mâle reproducteur le bélier.

Le chien

Le chien est un mammifère proche du loup. À la ferme, il pe

être chien de garde, de chasse, de berger ou de compagni

e chat

Le chat est un félin, un tigre miniature. Son ouïe et sa vue très développées font de lui un excellent chasseur.

Le dindon

Cet oiseau fait un drôle de bruit, on dit qu'il glougloute. Sa femelle s'appelle la dinde.

18

e coq

coq se distingue de la poule par sa taille plus importante, sa crête sur la tête et ses barbillons plus développés.

La poule

Elle est adaptée à la course mais peu au vol.

C'est l'oiseau le plus répandu sur la planète.

e poussin

Il faut environ 20 jours pour qu'un poussin arrive à terme et sorte de son œuf.

Le canard

La femelle s'appelle la cane et les petits les canetons. Grâce à s
plumes imperméables, il peut et adore barboter dans l'eau

l'oie

Ce grand oiseau est un cousin du canard et du cygne.
oie est la femelle du jars, les petits s'appellent les oisons.

23

© 2005 Artémisia
© 2007 **Éditions Piccolia**
Techniparc
Z.A.E. de la Noue-Rousseau
5, rue d'Alembert
91240 SAINT-MICHEL-SUR-ORGE
Dépôt légal : 3ᵉ trimestre 2007
Loi n°49-956 du 16 juillet 1949
sur les publications destinées à la jeunesse.
Imprimé en Chine.

à
l'état
sauvage

3 +

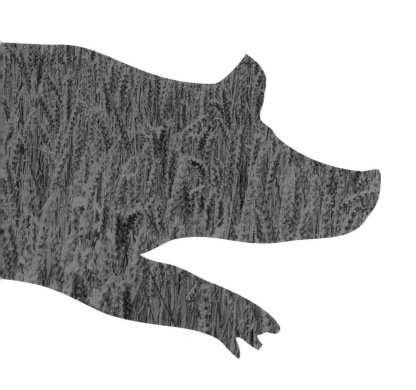